CYNNWYS

DREF WEN

GWYLLT, GWLYB A GWYNTOG

Claire Llewellyn

RHIWFAWR
JR. M. & I.   1755

1 Yr enw ar wyddonwyr sy'n astudio'r tywydd yw meteorolegwyr. Mewn canolfannau tywydd maen nhw'n edrych ar luniau o'r Ddaear a dynnwyd gan loerenni. Mae cymylau mawr troellog yn dangos bod corwynt yn dechrau ymffurfio dros y cefnfor.

2 Mae'r meteorolegwyr yn cyfrifo pryd a ble mae'r corwynt yn debygol o daro'r arfordir. Tua 36 awr cyn iddo daro, maen nhw'n rhybuddio pobl ar y teledu a'r radio.

3

Yn y mannau sydd mewn perygl rhaid i'r bobl benderfynu mynd neu aros. Mae pawb yn ceisio diogelu eu tai trwy osod planciau dros y ffenestri a'r drysau.

4

Mae bod mewn corwynt yn frawychus. Mae'r gwynt yn rhuo o amgylch y tŷ, yn tynnu ar y to, ysgwyd y drysau a'r ffenestri, a hyrddio biniau, canghennau ac unrhyw beth arall sydd gerllaw yn erbyn y waliau.

5 Gall gymryd hyd at 18 awr i'r corwynt fynd heibio'n llwyr. Pan fydd y cyfan ar ben, bydd pawb yn mentro allan i weld y difrod. Yna mae'n rhaid dechrau clirio'r llanast.

TYWYDD STORMUS

1 Mae'r gwynt yn codi. Daw chwa sydyn o'r môr i chwipio'r tir. Yna mae'n tawelu. Mae pobman fel y bedd – tawelwch cyn y storm.

2 Mae'r awyr yn tywyllu o awr i awr a'r gwynt yn cryfhau. Mae hi'n dechrau bwrw glaw – diferion trwm, yn cael eu gyrru wysg eu hochr gan y gwynt.

3 Mae'r coed palmwydd a'u dail pigog yn ysgwyd yn wyllt yn nannedd y gwynt. Nid storm gyffredin yw hon – mae corwynt ar gyrraedd!

CORWYNTOEDD 3

4 Corwyntoedd yw rhai o'r stormydd mwyaf peryglus ar y Ddaear. Gallant chwalu fforestydd, malu tai a throi ceir wyneb i waered. Gallant hyd yn oed rwygo'r dillad oddi ar eich cefn.

5 Mae tonnau enfawr yn cael eu gyrru i'r lan, gan ddinistrio cychod a chabanau ar y traeth, a gorlifo i siopau, caffis a chartrefi.

6 Mae corwyntoedd yn cychwyn uwchben moroedd trofannol cynnes, i'r gogledd a'r de o'r Cyhydedd. Mae aer poeth llaith yn codi'n gyflym o'r dŵr, gan ffurfio cymylau trwchus sy'n dechrau troelli.

4 CORWYNTOEDD

7 O ddydd i ddydd, mae'r storm yn tyfu a chryfhau. O fewn wythnos, mae'r storm yn gannoedd o gilometrau ar ei thraws. Fesul tipyn, mae'r gwyntoedd gwyllt yn symud tuag at y tir.

8 Mae'r corwynt pwerus yn taro'r arfordir ac yn creu difrod mawr. Ond dros y tir does dim mwy o aer llaith y môr i'w fwydo. Yn araf bach, fe fydd nerth y corwynt yn dechrau diflannu.

9 Mae enwau eraill ar gorwynt – seiclon, teiffŵn neu drowynt. Ond yr un math o storm yw'r rhain i gyd – ac mae'r cyfan yn beryglus!

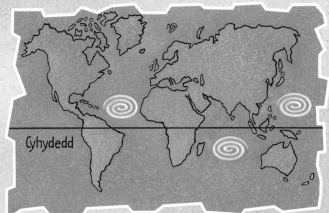

Cyhydedd

CORWYNTOEDD 5

MORUS Y GWYNT

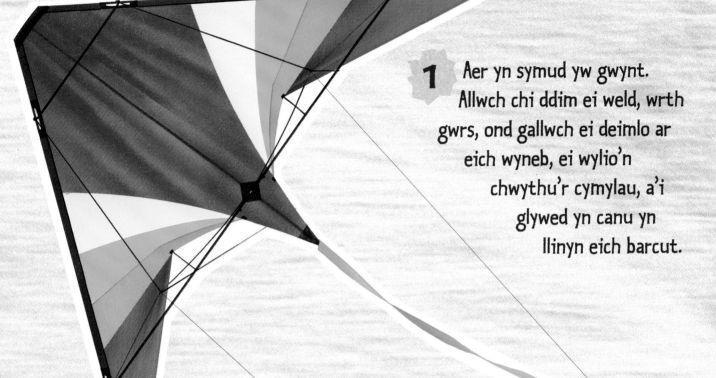

1 Aer yn symud yw gwynt. Allwch chi ddim ei weld, wrth gwrs, ond gallwch ei deimlo ar eich wyneb, ei wylio'n chwythu'r cymylau, a'i glywed yn canu yn llinyn eich barcut.

1 Bu pobl yn defnyddio pŵer y gwynt ers miloedd o flynyddoedd – petai hynny ond i sychu eu dillad!

2 Tua 5,500 o flynyddoedd yn ôl, yr Hen Eifftiaid oedd y bobl gyntaf i roi hwyliau ar eu llongau.

3 Tua 3,000 o flynyddoedd ar ôl hynny dechreuodd pobl hedfan barcutiaid – yn China. Weithiau roedden nhw'n codi pobl uwchben brwydr er mwyn ysbïo ar y gelyn!

2 Yr Haul sy'n gwneud i aer symud. Mae'r heulwen yn cynhesu'r tir a'r môr. Yn eu tro, mae'r tir a'r môr yn cynhesu'r aer uwch eu pennau.

3 Mae aer poeth yn ysgafn, felly mae'n codi i fyny i'r awyr. Wrth gwrs, does dim lle gwag islaw, gan fod mwy o aer yn llifo i mewn i gymryd ei le.

4 A'r holl aer yma sy'n llifo ac yn symud sy'n gwneud y gwynt.

5 Gwyntoedd y byd sy'n symud y tywydd o le i le, gan ddod â diwrnodau cynnes neu oer, awyr las neu law. Dyna pam mae newid yn y gwynt yn aml yn golygu newid tywydd.

4 Codwyd y melinau gwynt cyntaf tua 1,350 o flynyddoedd yn ôl ym Mhersia (Iran erbyn hyn). Roedd eu hwyliau yn troi meini melin, i falu grawn yn flawd.

5 Adeiladwyd fferm wynt gyntaf y byd yn y 1970au, yn yr Unol Daleithiau. Wrth i'r llafnau mawr droi maen nhw'n gyrru peiriannau sy'n cynhyrchu trydan.

TROI A THROELLI

1 Yn hir a llwyd fel trwnc eliffant, mae tornado'n chwyrlïo heibio ar gyflymder o dros 60 cilometr yr awr.

2 Mae'r tornado fel sugnwr llwch anferth, yn codi coed, ysguboriau, tractors, anifeiliaid – popeth sydd yn ei lwybr. Mae'n cipio ieir, a hyd yn oed eu pluo!

3 Gwyntoedd sy'n chwyrlïo yw tornados. Maen nhw'n ymffurfio wrth i golofn o aer oer suddo i lawr o gwmwl taranau, tra bo aer cynnes ac ysgafnach yn codi o'i amgylch.

4 Mae'r aer cynnes yn codi mor gyflym nes iddo ddechrau troelli. Mae'n sugno llwch a baw oddi ar y llawr nes ffurfio twndis tywyll sy'n codi fel neidr at y cwmwl.

8 TORNADOS

5 Mae llawer o dornados yn llai na 100 metr o led yn y gwaelod ac yn para llai nag awr. Maen nhw'n llawer llai na chorwyntoedd ac yn chwythu eu plwc yn llawer cynt.

6 Ond cofiwch hyn: mae'r gwyntoedd mewn tornado yn chwyrlïo dros 600 cilometr yr awr. Maen nhw ddwywaith mor gyflym â gwyntoedd corwynt – a dwywaith mor bwerus, hefyd!

1 Mae rhai tornados yn dechrau uwchben llyn neu fôr. Colofnau dŵr yw'r rhain ac mae'r twndis o wyntoedd sy'n chwyrlïo yn llawn ewyn gwlyb.

2 Ers talwm, credai rhai pobl mai angenfilod môr oedd y colofnau hyn. Hyd yn oed heddiw, mae rhai pobl yn credu mai colofn ddŵr oedd anghenfil enwog Loch Ness.

3 Er bod colofnau dŵr yn troelli'n arafach na thornados, maen nhw'n ddigon cryf i godi cwch o'r dŵr.

4 Mae sôn am rai yn codi anifeiliaid, hefyd. Cafodd brogaod, llyffantod a hwyaid i gyd eu chwipio o byllau neu lynnoedd a'u gollwng mewn cawod o "law".
   Felly, os daliwch chi bysgodyn yn eich ambarél, mae'n debyg mai colofn ddŵr fydd ar fai!

GWLYB DIFEROL

1 Pitran, patran, plip, plop! Mae'n bwrw glaw. Mae diferion glaw gwlyb, trwm yn tasgu oddi ar y dail ac yn llifo i'r llawr.

2 Mae bron popeth byw yn dibynnu ar y glaw. Heb law, fyddai'r planhigion ddim yn tyfu, a fyddai dim i'r anifeiliaid ei fwyta na'i yfed.

3 Nid yw glaw byth yn disgyn o awyr las glir – dim ond o gymylau. Mewn cymylau mae biliynau o ddiferion dŵr a grisialau iâ, sydd mor fach fel eu bod yn arnofio yn yr aer.

10 GLAW

4 Ond dydy'r diferion a'r grisialau ddim yn aros yn fach. Maen nhw'n taro yn erbyn ei gilydd, gan dyfu'n fwy ac yn drymach drwy'r amser.

5 Yna, pan fyddan nhw'n rhy drwm i arnofio, maen nhw'n disgyn i'r llawr fel glaw neu eira.

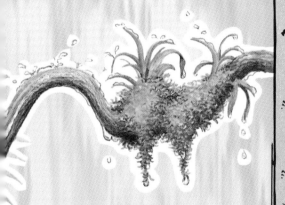

6 Erbyn hyn, mae rhai o'r diferion glaw tua'r un maint â phys bach – miliwn o weithiau'n fwy nag oedden nhw ar y dechrau yn y cwmwl.

1 Mae dŵr y byd yn symud ar daith ddiddiwedd o'r awyr i'r tir a'r môr, ac yn ôl. Dyma'r gylchred ddŵr.

2 Mae cawodydd glaw yn bwydo afonydd, llynnoedd a moroedd, ac yn gadael pyllau ar y llawr. Mae gwres yr Haul yn troi'r dŵr yn nwy anweledig o'r enw anwedd dŵr, sy'n cymysgu gyda'r aer ac yn codi i'r awyr. Enw'r newid yma o hylif i nwy yw anweddiad.

3 Po uchaf yr ewch chi, oeraf fydd hi. Felly wrth i aer godi, mae'n oeri. Yn y pen draw, mae hi mor oer fel bod yr anwedd yn troi'n ôl yn ddiferion bach o ddŵr. Enw'r newid yma o nwy i hylif yw cyddwysiad.

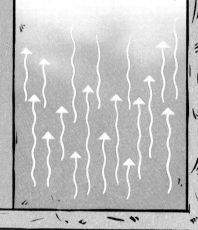

4 Mae'r diferion bach yn ffurfio cymylau ac yn tyfu'n araf yn ddiferion glaw. Yn y diwedd, maen nhw'n disgyn yn ôl i'r Ddaear – ac mae'r gylchred yn dechrau unwaith eto!

1 Mae'n debyg mai'r Hen Eifftiaid wnaeth ddyfeisio goleudai. Ers dros 5,000 o flynyddoedd, mae'r goleuadau llachar hyn wedi arwain llongau heibio i greigiau a banciau tywod ar ddiwrnodau niwlog a nosweithiau dileuad.

2 Ond 200 mlynedd yn ôl yn unig, roedd llongddryllwyr wrthi yn ceisio twyllo llongau, er mwyn dwyn eu cargo gwerthfawr.

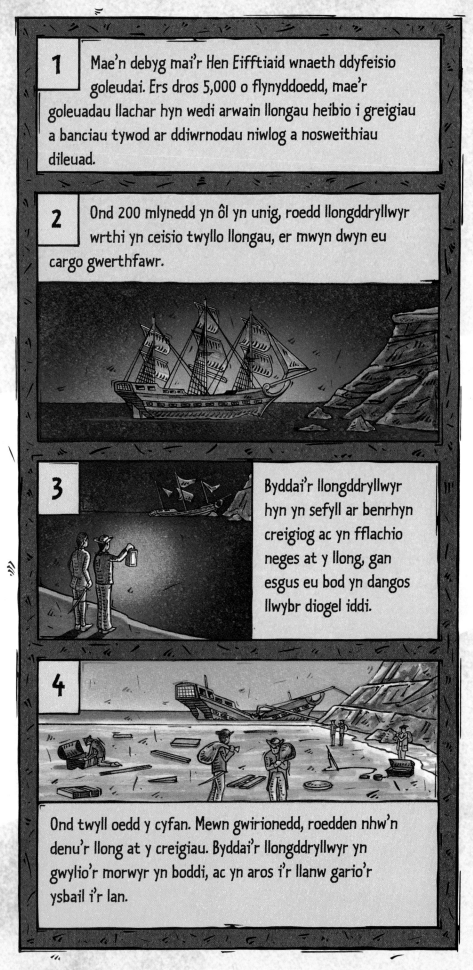

3 Byddai'r llongddryllwyr hyn yn sefyll ar benrhyn creigiog ac yn fflachio neges at y llong, gan esgus eu bod yn dangos llwybr diogel iddi.

4 Ond twyll oedd y cyfan. Mewn gwirionedd, roedden nhw'n denu'r llong at y creigiau. Byddai'r llongddryllwyr yn gwylio'r morwyr yn boddi, ac yn aros i'r llanw gario'r ysbail i'r lan.

1 Mae goleuni goleudy yn treiddio trwy'r niwl. Ar y môr, bydd y morwyr pryderus yn cadw eu pellter rhag i'w llong daro'r creigiau!

2 Allwch chi ddim gweld yn bell mewn niwl – dyna pam mae niwl mor beryglus ar y môr. Mae'n beryglus ar y tir hefyd, felly fel arfer mae gan geir oleuadau niwl – eu goleudy bach eu hunain!

NIWL DOPYN

3 Mae niwl yn oer a llaith. Mae cerdded trwy niwl yn debyg iawn i gerdded y tu mewn i gwmwl.

4 Pam? Oherwydd mai biliynau o ddiferion dŵr yn arnofio yn yr aer yw niwl – yn union fel cymylau.

5 Er bod niwl yn llawer nes at y llawr, mae'n ymffurfio yn debyg i gymylau – mae aer cynnes yn oeri, ac mae'r anwedd yn yr aer yn troi'n ôl yn ddiferion dŵr.

NIWL **13**

HAF GWLYB

1 Mae'n fis Mehefin yn India, ac mae'r strydoedd dan ddŵr. Mae tymor y glaw, y monsŵn, wedi cyrraedd o'r diwedd.

2 Mae tymor monsŵn India rhwng mis Mehefin a mis Medi. Yn y pedwar mis hyn mae bron holl law y flwyddyn yn disgyn. Prin iawn yw'r glaw weddill y flwyddyn.

3 Mewn rhai rhannau o'r byd mae pedwar tymor – gwanwyn, haf, hydref a gaeaf. Dau brif dymor sydd yn India – y tymor gwlyb a'r tymor sych.

1 Mae'r rhan fwyaf o reis y byd yn cael ei dyfu – a'i fwyta – yn India, de China, ac ardaloedd eraill lle mae tymor gwlyb a thymor sych. Mae hadau reis yn cael eu hau tua diwedd y tymor sych, ychydig wythnosau cyn y glaw.

2 Mae'r planhigion bychain yn tyfu orau mewn llawer o ddŵr, felly maen nhw'n cael eu symud i gaeau reis. Yn y caeau hyn mae waliau llaid isel sy'n dal glaw y monsŵn.

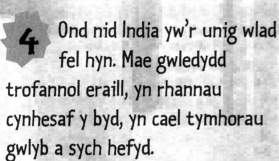

4 Ond nid India yw'r unig wlad fel hyn. Mae gwledydd trofannol eraill, yn rhannau cynhesaf y byd, yn cael tymhorau gwlyb a sych hefyd.

5 Mae tymhorau gwlyb yn gallu achosi problemau. Yn y blynyddoedd gwaethaf, mae glaw y monsŵn yn troi nentydd bychan yn afonydd enfawr. Mae'r llifogydd yn gallu chwalu tai, a lladd anifeiliaid a phobl.

6 Eto dydy'r glaw ddim yn ddrwg i gyd. Heb y glaw trwm bob haf, byddai'r cnwd reis yn methu. A heb reis, byddai llawer o bobl yn llwgu ac yn marw.

3 Erbyn diwedd y tymor gwlyb mae'r planhigion yn dal a gwyrdd, a'u pennau'n drwm dan bwysau'r gronynnau reis.

4 Yna daw'r tymor sych drachefn, gyda'i ddyddiau poeth, heulog. Mae'r ddaear yn sychu a'r cnwd yn aeddfedu. Cyn bo hir bydd y reis yn euraid ac yn barod i'w gynaeafu.

1 Gwyddonydd o America o'r enw Benjamin Franklin a ddangosodd mai math o drydan yw mellt. Fe wnaeth hyn yn 1752 trwy gynnal arbrawf peryglus.

2 Roedd Franklin yn gwybod bod trydan yn llifo trwy rai defnyddiau, er enghraifft dŵr a rhai metelau. Felly penderfynodd hedfan barcut mewn storm o fellt a tharanau, a hongian allwedd fetel ar y llinyn.

3 Neidiodd gwreichion bach trydan o gwmwl taranau a theithio ar hyd y llinyn gwlyb at yr allwedd.

Roedd Franklin yn ffodus. Byddai mellten fawr wedi'i ladd!

4 Defnyddiodd Franklin yr arbrawf i ddyfeisio'r rhoden fellt. Rhoden fetel yw hon sy'n cael ei gosod ar do adeilad tal, gyda strap metel trwchus yn disgyn ohoni i'r ddaear. Os bydd mellten yn taro'r rhoden, fydd hi ddim yn difrodi'r adeilad. Bydd yn llifo i lawr y strap yn ddiogel i'r ddaear.

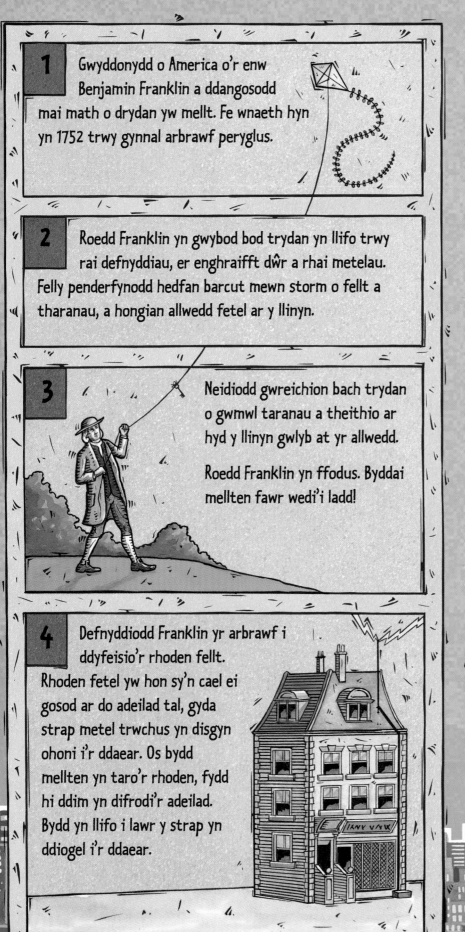

1 Yn ôl rhai pobl, wnaiff mellt byth daro'r un lle ddwy waith. Anghywir! Mae mellt yn taro Tŵr Eiffel ym Mharis tua 25 o weithiau bob blwyddyn!

2 Bys hir o drydan yw mellten. Mae'n hollti'r awyr ar gyflymder o hyd at 140,000 cilometr yr eiliad.

3 Mae fflach mellten yn bwerus iawn – gallai wneud i fwlb oleuo am dros 300 mlynedd.

FFLACH, BANG, CLEC!

5 Wrth i'r diferion a'r grisialau chwyrlïo i fyny ac i lawr, mae trydan yn dechrau clecian yn y cymylau.

6 Yn sydyn, bydd gwreichionen enfawr yn saethu at y llawr ac yn tasgu yn ôl i'r cwmwl â fflach lachar.

4 Mae mellt yn cychwyn y tu mewn i gymylau taranau mawr. Yno mae gwyntoedd cryfion yn codi'r diferion dŵr a'r grisialau iâ a'u hyrddio o gwmpas.

7 Mae mellten tua phum gwaith yn boethach na wyneb yr Haul. Wrth deithio, mae'n cynhesu'r aer mor gyflym nes gwneud iddo ehangu'n swnllyd – a dyna yw'r daran!

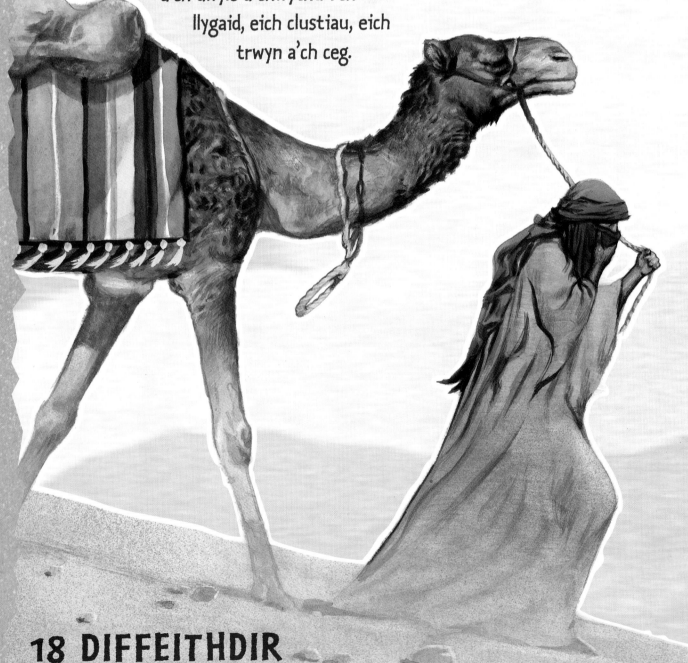

LLYCHLYD SYCHLYD

1 Mae ymlwybro trwy storm dywod yn hunllef – hyd yn oed i bobl sy'n byw yn Niffeithdir Sahara yng Ngogledd Affrica.

2 Mae gwyntoedd cryf yn codi cymylau o dywod a llwch sy'n hedfan i bobman – gan dorri'ch wyneb a'ch dwylo a chwythu i'ch llygaid, eich clustiau, eich trwyn a'ch ceg.

3 Mae pob diffeithdir yn lle gwyntog, ond nid yw pob un yn dywodlyd. Graean a cherrig mân yw rhai. Creigiau noeth yw eraill.

4 I wyddonwyr, diffeithdir yw lle sy'n cael llai na 25 centimetr o law y flwyddyn.

5 Ond dydy'r glaw ddim yn disgyn yn gyson bob blwyddyn. Un flwyddyn, efallai na fydd glaw o gwbl. Y flwyddyn wedyn, efallai y daw'r cyfan mewn un storm arw.

6 Gall y tywydd newid o un diwrnod i'r llall mewn diffeithdir, ond fel arfer mae'n sych a heulog. Yr enw ar batrwm y tywydd mewn lle arbennig yw ei hinsawdd.

Mae gan bob lle yn y byd ei hinsawdd ei hun. Mae'r hinsawdd yn dibynnu llawer ar ba mor agos ydych chi at y Cyhydedd. Mae hi'n boeth yn agos at y Cyhydedd ac yn oer ym Mhegwn y Gogledd a Phegwn y De.

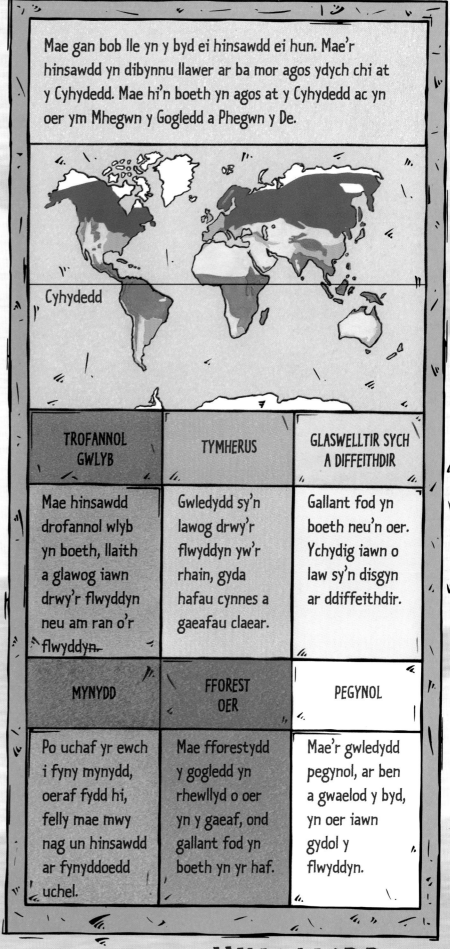

Cyhydedd

TROFANNOL GWLYB	TYMHERUS	GLASWELLTIR SYCH A DIFFEITHDIR
Mae hinsawdd drofannol wlyb yn boeth, llaith a glawog iawn drwy'r flwyddyn neu am ran o'r flwyddyn.	Gwledydd sy'n lawog drwy'r flwyddyn yw'r rhain, gyda hafau cynnes a gaeafau claear.	Gallant fod yn boeth neu'n oer. Ychydig iawn o law sy'n disgyn ar ddiffeithdir.
MYNYDD	FFOREST OER	PEGYNOL
Po uchaf yr ewch i fyny mynydd, oeraf fydd hi, felly mae mwy nag un hinsawdd ar fynyddoedd uchel.	Mae fforestydd y gogledd yn rhewllyd o oer yn y gaeaf, ond gallant fod yn boeth yn yr haf.	Mae'r gwledydd pegynol, ar ben a gwaelod y byd, yn oer iawn gydol y flwyddyn.

1 Mae gan anifeiliaid sy'n byw yng nghanol yr eira wahanol ffyrdd o oroesi tymheredd rhewllyd a gwyntoedd oer y gaeaf. Mae rhai yn cuddio mewn ogofâu neu dyllau, gan dreulio'r misoedd tywyll, oer yn cysgu'n drwm. Maen nhw'n gaeafgysgu.

2 Mae ffwr yr arth wen yn gynnes iawn felly does dim angen iddyn nhw aeafgysgu fel arfer. Ond mae'r fenyw yn gaeafgysgu os yw'n feichiog, gan nad yw ffwr yr eirth bach yn ddigon trwchus. Mae'r eirth bach yn cael eu geni ganol gaeaf, mewn ffau o dan yr eira.

3 Nid yw pob anifail yn gaeafgysgu. Mae creadur bach tebyg i'r bochdew, sef y leming, yn brysur drwy'r gaeaf. Mae'n gwneud llwybrau o dan yr eira er mwyn cuddio rhag y gwynt oer, ac yn cnoi'r planhigion yno tan y gwanwyn.

4 Mae'r pengwiniaid yn Antarctica yn byw drwy'r gaeafau gwaethaf ar y Ddaear. Mae'r adar yn heidio'n grwpiau mawr i gadw ei gilydd yn gynnes. Dros amser bydd pawb yn yr haid yn newid lle, er mwyn i bawb gael cyfle i guddio rhag y gwyntoedd oer.

5 Ond all rhai anifeiliaid ddim cadw'n fyw mewn lle mor oer. Felly yn yr hydref mae llawer o greaduriaid yn gadael eu cartrefi, a hedfan, cerdded neu nofio i rywle mwy braf dros y gaeaf.

8 I wneud y mynyddoedd yn fwy diogel ar gyfer pobl, bydd patrôl eira yn cadw golwg ar y llethrau uchaf. Ambell dro, bydd y patrôl hyd yn oed yn defnyddio ffrwydron i greu eirlithrad pan fydd neb ar y mynydd.

Beth yw plu eira? Diferion bach o ddŵr sydd wedi rhewi'n grisialau iâ yn uchel yn y cymylau. Weithiau bydd y grisialau'n ymdoddi a throi'n ddiferion glaw wrth ddisgyn. Ond os bydd yr aer yn oer iawn, fyddan nhw ddim yn ymdoddi, ac fe fydd hi'n bwrw eira.

EIRLITHRADAU 23

MYNEGAI

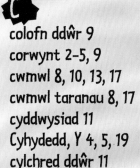
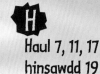

Y prif ddarluniau gan Robin Budden (10–11); Chris Forsey (clawr, 3–5, 8–9); Christian Hook (14–15, 18–19); Mike Lister (6–7, 16–17); Darren Pattenden (21–23); Peter Visscher (12–13). Y lluniau wedi'u mewnosod a'r stribedi lluniau gan Ian Thompson. Diolch i Helicopter Graphix ac Asiantaeth Wildlife Art. Cysodwyd y llyfr hwn gan ddefnyddio Kosmik.
Dyluniwyd yr argraffiad Saesneg gwreiddiol gan Jonathan Hair a Matthew Lilly, a'i olygu gan Jackie Gaff.
Ymgynghorwyr: Keith Lye a Steve Parker.
Cyhoeddwyd gyntaf yn 1997 gan Walker Books Cyf, 87 Vauxhall Walk, Llundain SE11 5HJ.
Addasiad Cymraeg Ken a Sian Owen.
Cyhoeddwyd yr argraffiad hwn yn 2001
© y testun 1997 Claire Llewellyn
© y darluniau 1997 Walker Books Cyf.
© yr addasiad Cymraeg 2001 CBAC/ACCAC
Mae hawlfraint ar y deunyddiau hyn ac ni ellir eu hatgynhyrchu heb ganiatâd perchenogion yr hawlfreintiau.
Cyhoeddwyd trwy drefniant â Walker Books, Llundain.
Cyhoeddwyd dan nawdd Cynllun Cyhoeddiadau Cyd-bwyllgor Addysg Cymru â chefnogaeth Awdurdod Cymwysterau, Cwricwlwm ac Asesu Cymru.

CBAC

Mae Uned Iaith Genedlaethol Cymru yn rhan o WJEC CBAC Limited, elusen gofrestredig a chwmni a gyfyngir gan warant ac a reolir gan awdurdodau unedol Cymru.
Argraffwyd yn Hong Kong. ISBN 1 85596 495 3

ATEBION Y CWIS

Tudalen 2 — ANGHYWIR
Dim ond i'r de o'r Cyhydedd y mae gwyntoedd corwynt yn chwythu'n glocwedd. I'r gogledd o'r Cyhydedd maen nhw'n chwythu'n groes – yn wrthglocwedd.

Tudalen 7 — ANGHYWIR
Yr unig blanedau heb wyntoedd yw Mercher a Phlwton. Neifion yw'r blaned fwyaf gwyntog, gyda stormydd o wynt tua 2,000 km yr awr!

Tudalen 8 — CYWIR
Mae tornados ym mhob rhan o'r byd. Yn yr Unol Daleithiau, mae tua 500 tornado bob blwyddyn.

Tudalen 10 — ANGHYWIR
Peli bach wedi'u gwasgu ychydig yw diferion glaw, tebyg i siâp bynsen byrgers.

Tudalen 13 — ANGHYWIR
I wyddonwyr, mae yna niwl os na allwch chi weld pethau mwy nag 1 cilometr i ffwrdd. Os gallwch chi weld ymhellach na hynny, tarth sydd yna.

Tudalen 15 — ANGHYWIR
Y lle mwyaf gwlyb yn y byd yw Mynydd Waialeale yn Hawaii. Mae'n bwrw glaw yno 350 diwrnod y flwyddyn.

Tudalen 17 — CYWIR
Rydyn ni'n gweld mellten cyn clywed y daran oherwydd bod goleuni yn teithio'n gyflymach na sain.

Tudalen 18 — CYWIR
Y diffeithdir sychaf yn y byd yw Diffeithdir Atacama yn Chile, De America. Hyd at 1971, doedd dim glaw wedi disgyn yno ers 400 mlynedd.

Tudalen 20 — ANGHYWIR
Mae yna rai plu eira siâp seren, ond mae eraill yn hir ac yn debyg i nodwydd.